그의 최종 목표였던
지적, 신체적, 정신적, 정서적
감정을 연구하고 싶었고
탐구하고 싶었다 토르초프는
배우가 걷는 모습 신체를
통한 발전에 기여했다
그뿐만아니라 보이스 칼라
걷는모 양들을 제공했다 자

여그의 최종 목표였던
지적,신체적,정신적,정서적
감정을 연구하고 싶었고
탐구하고 싶었다 토르초프는
배우가 걷는 모습 신체를 통한
발전에 기여했다 그뿐만아니라
보이스 칼라 걷는모 양들을
제공했다 자 여기서

지적이라는것은 그냥 지식이
아니다 생각관념이 라는것이다
세계관이라는것이다
신체적인것은 분명히 뭔가가
포함이 될것인데 복식호흡과
발성을 하기위해선 몸을 완전히
힘을 뺀 상태서 호흡을
하는것이다 정신적이라는것은
기본적으로 않좋은 정신관념과
좋은 정신관념이 있다는것이다
정신관념은 다양성을
부여하고있다 우리가
이론적인것과 실체적인 것을
받아들일때 정신적 연기는
필요로 한다 내가 사고화하는
것은 생각을 해보라면 좋겠다 이
사람이면 어떻게 구성을

할것인가 만약 이 사람이면 나는
어떤 감정과 제스처를 연구를
하는것이다
높은 톤과 낮은 통에 대해서
생각을 하겠다 높은 톤은 감정에
일깨워져 나는 소리라는 것이다
하지만 이 감정이 통제가 되서
내면으로 생각을 해봐서 호흡을
낮추고 컨트롤을 하게된다면
바로 좋은 결과가 나올
수있는것이다 낮은 톤은
마찬가지이다 하지만 이 어떠한
인물설정에서 낮은 톤으로
말하는 사람이 있을 것이다
그것은 무엇이냐면 성격이
차분하거나 격하지않은 사람의

역할이 들어왔을때
적용하는것이 좋다
외적인 성격 묘사라는것은
말하는 그대로 외부로 내
성격자아를 표현하는 것이다
외부라는것은 내면이 분명히
필요하다 왜>

내면이 우러나와서 감정도
표현해 봐야하는것이다 내면의
표현은 다양하다 희 노 애 락
이라는 것이다 이 표현을 하기
위해서는 우리는 항상 감정을
중요시 생각지 않고 내면을
중요시 여겨서 다양한 매체를
통해 내 마음가짐을 중요시
하라는 이야기이다
인물에 옷 입히기

인물에서 설정을 할때 성격 나이
키 몸무게 성별 등 을 설정을
해야겠다라는것이다
의성별을통해서 남자가 여자
역할을 할수있는것이고 여자가
남자역할을 할수있다 성격은
의기적이지만 내면 안에는 정말
천사갖은 마음을 가지고있는
사람들이 있다 또한 키에 따라서
시각적인 것과 나이에 따라서
목소리 칼라라던지 발성과
호흡이 바뀔수가있다는것이다
몸무게에 따라서 행동과
목소리와 자기만의 표현 방식
제스처 가 달라질수있다
의상 연출

공연에서 배우에게
의상이라는것은 중요시
여겨야할부분이다 공연에서는
무조건 남들한테 맡겨선
않된다는 이유이다 자기자신이
의상을 입고 곰팡이가 까득한
의상을 입는다고 해도 그
역할이면 그 직업이면 그렇게 할
수 밖에 없다는 것이다 그러므로
스타니슬라브스키는 이
의상연출에관해서 연출자 말고
공연배우에게 직시를 했다
그러므로 이런 직업을 가진
역할이라면 의상도 연출을
해야할것이라는것이다
등장인물과 배우의 유형

등장인물이라는것은 공연에서
쓰여야할것이다 공연에있는
배우들 전체적으로 공연에
서야한다 그러므로 이
등장인물에는 다양성을
추구할수있다 등장인물들은
배우들끼리도 소통이 되지만
관객들에게도 상호관계를
펼칠수가있다 그러므로 잘
생각해야한다 이 세계관을
펼칠때도 마찬가지이다
그러므로 등장인물은 당장
배우들과 신체적훈련과
스피치훈련 가면 예쭈드 스타일
분석등을 해주어야한다
그렇게된다면 배우들의
유형이라는 것은무엇일까?

각자다른 배우들이 있다
어떤배우들은 시간을 않지키는
배우들 또는 어떠한 상황이라도
피할려고 하는 배우들 이러한
배우들을 육성을 시킬려면
사람이되어야한다는 뜻이다
거울 속의 내면화

이 거울이라는것은 굉장한
표현이 들어간다 거울을 보고
항상 내 표정을
관리해야할것이다 배우들은
특히나 표정관리를 못하는
경우가 대부분이다 그러므로
상식적으로 이해가 않되는
경우는 무엇이냐면 거울 을 보고
연기를 해라는 것은 말도
않되는것이다 거울을 보고

어떠한 상황을 사고화해서 그 거울
을 통해서 내가 과연 이 표정을
표현해야겠냐이다
표현력있는 몸 만들기

우리가 신체를 표현할때
몸이라는 것이 존재한다
그러기때문에 이 신체를
재구성해서 좀더 풀어좋야한다
이 신체는 호흡과 딱딱한 몸을
풀어주기위한 방법또한이지만
신체에서 사용될수있는
언어들을 생각해봐야한다
그언어들은 과학적인 방법이다
자 신체를 1로잡고 몸을 2로
잡으면되는 방식들이다
신체에서 벌써부터

자리를잡게된다면 풀어준다면
딱딱하고 자연스럽지않게되는
행위가 발생하지않는다
가면극의 탄생  논문시작 페이지
**1**
페르소나는 고전시대부터
이어진 전통예술극으로서
마스크연극으로 성격구축을
통해
가면의 형태를 만든다

가면이라는것은 ' 내면 ' 에서
우러나는 부분이 강하고 내면에
까지 복종하지 말라라는 뜻으로
생겨진 의미이다 주로 가면을
스는 이름은 그 역할을 상상력과
사고로 쉽게 풀어낼수있다

인형극이란 더빙으로 무대에
소리를 확장신켜 배우들의
움직임이나 마임을 사용해서
올리는극이다 인형극은 소리에
집중을 해서 대사를 들을때마다
손동작이나 마임으로 표현을
해주어야한다

표현은 자유롭게 사실적인
요소로  표현적인 요소로 번갈아
가면서 호흡을 내면서 실시하는
극이다 스타니슬라브스키의
성격구축에서는 내 자아가
어떠한지에 대한 깊이와
사실적인 연기를 구축할수있다
사실적인 연기라는 것은 그
인물자체가
행동,모습,제스처,상황 들을

연출했을때 현실과 비슷하게 그려내면 되는것이다

여기서 표현법이란 내 내면에서 진실로 우러나와 대사를 할때 내 제스처나 행위 모습 성격을 나타내면되는것이다 이것으로 자아를 표현할수있으며 자아를 표현함으로써 정서를 살릴수있다

정서에서는 기억법과 상상력이 존재한다 기억에서는 과거 현재 미래가 있습니다

과거에는 내가 해놨던거과 가상과 접촉이 가능할까? 라는 의문점입니다 가상에서는

시나리오라는것이 존재하기에
이유입니다
시나리오에서는 내가 과거에
했던일과 비슷한것일까? 그러면
자극이라는 충돌이 생깁니다
자극이라는것은 그래서 자극을
받은후에 반응을 보이면 그래도
표현을 하면서 상대방괴
스피치를 하는 순간입니다
스피치라는 것은 익살스러운
테크닉법에서 쓰이는 말이므로
주기적으로 연기를 통해서
상대배역과 말과 말로써
자연스럽게 화술을 사용하면서
국어체식이 아닌 아나운서식이
아닌 매우 실생활과 비슷하게
얹힐수있는 말을 쓰고 받아

감정을 자제하는 훈련으로
소리와 공기를 실어서
낮추어 상대배역을 도구로 삼지
않는 순간순간을
만드는것입니다 즉흥연기에서는
상황,분위기,상태변환,서사적기
법이 있다 순간순간을
만드는것이다 즉흥연기에서는
상황,분위기,상태변환,서사적기
법이 있다
자신이 자연스럽게 상상력을
동반해서 작동하는 상황이다
즉흥상황에는 여러가지
색깔이있습니다
<딕션>에서는 맑은 소리
좋은소리를 낼수있는 다양한
음성을 내야합니다.그

딕션에서는 어떠한 화술훈련
자체가 필요로 한것도
있습니다.정확한 소리 정확성에
대해서
파악할수있습니다.여기에서
딕션은 소리를 낼때 한단어
한단어
씩 끊어서 저 기  저기 하는
음성자체를 들어야합니다
물었을때와 부탁했을때의 아조나
톤이 다르기 때문에입니다
그래서 의문문 긍정문이
있습니다 여기에서
의문문으로써는 내가 물었을때
어느단어를 강조해서 입으로
뱉을것인가를
고민해봐야겠습니다

전부다 오브젝션이 다르기
때문입니다 그래서 정확성있게
정확한 발음을 전확한 소리가
기초적으로 학습이어야합니다

여기서 발음 부분에서 혀을 쓰는
법칙이라 혀를 천장끝에서부터
위아래로 왔다갔다 하며 신체를
오무리고 "침"이 나오지 않는
법칙으로 보존받기위한
법칙입니다 또한 음성에서
보이스칼라라는 부분이
들어갑니다

보이스칼라는 그대로의 의미의
조직을 해주는것입니다

만약이 사람이라면 내가 어떠한
혀의 구조물로 내뱉는것이더
소라를 지르지만 음성을 섞어서

내는 구조공간이라고
생각이된다
<화술>은 말하는대로 발성과
호흡을 실어서 딕션을 사용해서
평상시에 말하는대로의 상황을
인식하고 내몸에서내는
기술입니다 이 기초적인 화술이
없으면 감정이 선명하다고해서
내면상태가 올바르더라도
절대로 무기로 쓸수없습니다
자연적으로 연극톤을 사용래서
마치 공기와 끼없듯이
활용을하면됩니다
신체 는 소리와 유연성을
길러주기위한 수단입니다
그러므로 여러가지 방면에서

힘이들어가는 포인트를 구성해야 할것입니다

신체를 유체적으로 사영한다는 전제하에서 내가 어떻게 신체를 쓰면 소리와 감각을 오감을느낄수 있는지를 연상하면 됩니다 단 연기서 신체를 사용할대 침과 섞어내지않고 목구조를 사용하는 법칙또한 있습니다 몸에 힘을 푸는겁니다 마임은 기계중심적인 형태의 모션이 이루어지는 것입니다 "자연"법칙에 의해서 도구를 만지는 촉감입니다.드는힘의 용도로 사용하여 마임을 쓰는 순간마다 힘이 작용하며 그힘에 따라서 감정의 농도에 변화가 분출된다.그러므로 이 마임을 쓰는 공간에서 표정연기의 형태이나 자동적으로 될수있는 형식을 말한다.자연의 법칙에 따라 마임이 "사고"를 통해서 이루어지는 스킬이나 도구를 만졌을때 어떠한 목적성으로 인해서 자발적으로 의식하면됩니다.

이 형식은 율동적이지 않고 내가 움직일수있는 공간을 만들어내고 창조하는 역할이다. 무게는 감정의 농도에 따라서 좌우가 될것이며 힘은 내가 생각하고 있는 사고형태를

통해서 ,자연적으로 의식을
하게된다

마임에서는 여러가지 동선을
짜야 된다믄 생각입니다.내가
만약 누군가에게 어떠한것을
선물해주었을때 그때 느끼는
감정선을 어떠한것인지 또한
신체에서 어느 흐름안에서
상황을 전개시킬수있게
될것인지에 대해서 사고화해서
내가 충족할수있는
내면세계안에서 이루어지는
겁니다
내 배경지식안에서 어두울때
밝을때를 봤을 때를 봤을때 어떤
사고를 할것이며 또한그 사고를

통해서 어떠한 감정표현을
할거이며

어떠한 보이스칼라를
보여주는것을 뜻합니다
그리하여 "농도"를
측정되는것이
적합하다고생각합니다
<움직임>이라는것은
동선을짜서 마임을 만들어내거
행위 즉 행동을 하는 모션이다

이 모션이라는것은
정서,분위기,상황들을 고려해서
직접분석할 수 있다.물론 신체를
사용해서 훈련을 통해 상대
배우와 동선을 짜서 다리나
인체적으로 자동성이
필요하다.이부분은 간략하게

설명하자면 움직임이 필요로
해야 감적의 표현이라던지
액팅을 할 수 있다.여기서
액팅이라는것은 손에서
이루어질수있고 발에서도
이루어 질수있습니다
움직임은
섬세해야한다.움직임에서
사실적으로 표현한다고했을때
시각적인 요소로 분명히
좌우할수있을것이다.시각으로
먼저보고 듣고해서 자극과
반응을 유도해야한다
자극을 받았으면 그 만큼의
감정의 농도를 분석해서 그에
맞게 움직임을
해주어야한다.움직임에는

발이나 필라테스를 하는것도
중요합니다 이훈련을 통해서
상대배우가 어떻게 동선을
생각하고 그부분은 그려내서
사고화하여 그라운드를
형성할수있는지에 대해서이다
이 그라운드를 형성을하면
어디로 움직일것인지 어떻게
언제라는 생각할수있다
그렇기 때문에
동선을미리짜놓고 무대에서
누군가에 서있어거나 누군가는
움직이고 시각적인 측면에서
볼것이다. 무대에서는 누군가
포인트를 잡아서 서로 훈련을
해주어야하는데 원을 하나
그리고

즉흥연기,신체훈련,보고듣고
느끼는 자각훈련등을
해봐야한다.마임으로 하나의
움직임에 중요한 요소이니
마임을 통해서 실제로 있는지
없는지 상상해서 소리를내어
목소리 즉 보이스칼라를 실어
움직임의
동선을짜야한다.즉흥연기도
마찬가지이나 상상을 통해서
상황을 그려내서 움직임을
접해서 한순간 한순간 마다
산소를 통한 움직임을 통해서
크게 동선을 짜야할때 훈련법에
의해서 어떤 배우는 왼쪽으로
무브먼트를 하고 그 시나리오
플롯에 맞게 서있다가 대사를

할때 타이밍에 맞추어 여러가지 방면에서 움직임에대해서 생각을 해봐야한다 신체훈련을 통해서 침이 고이지 않게 발성과 호흡 단단히 하고 내가 움직일때 대본과 같이 움직여야 한다는 사실적인 부분을 알아야 나중에 움직임을 해서 표현을 할 수 있다 동물연기란 사이코매틱에 나오는 단어라고 생각하면 배우가 연기를 하는데 있어서 한계점에 부딪칠때 자연의 이치에 따라서 배우가 접선을 해야 되는것이다. 예를 들어서 배우가 배고픈장면을 연출하고 싶을때 내가 만약 사람이 아니고 신비로운 동물이라면 이

감정의농도가 너무 시나리오에
지나치면에 반해서 동물연기를
함으로써 보이스칼라는 바뀌게
되어있다 .여기서
보이스칼라라는 것을 어떤
동물이 호랑이라고 생각한다면
호랑이의 목소리를 비유해서
만들어내는 답례라고 생각한다
호랑이 소리와 흉내내고
하는것을 사람과 같이
혼합시켜서 나타내는
자아이다.여기서 인격이라는
것이 깨지지 않는 이상 좋은
접근법이다.내가 사람일때
특정인물을 잡아서
사이코매트릭으로 변신을
하는것을 내세웠을때 이배우의

정서를 파악해서 그대로의
인간미를 보여주되 인격이
살아있으며 동물이 자연적인
현상을 표현해주면 되는것이다
여기서 보이스칼라뿐만 아니라
행위,모습,얼굴표정,무브먼트형
식자 체에도 이동물화현상이
필요하다고 생각한다
메소드라는 부분에서 감정이
격해질수록 이 동물연기로서
감정표현이 자제되고
감정표현에 있어서 내면이
보이는 까닭이다 .비극에서
동물연기를 나타낼때는 감정을
희 노 애락중에 "애"자를 쓰면
상황에 맞게 슬플때 상황이 내가
감옥에 들어가있을때를

상상해서 사고화해보면
어떤것인지 내가 "애"자를
쓰면서 혹시나 상황이 긍정적인
상황이면 그 내심이 어떻게
작용을 하는지에 대해서 상황을
해석할줄
알아야합니다.그러므로
동물연기는 심리적인것인것과
상황에 맞게 내가 어떤 색깔의
동물을 선정해서 연기를 하며
감정을 자제를 했을때
어떠한결과에 맞썰덧인지에
대해서 고민해봐야한다
동물연기를할때 마스크를 쓰는
방법으로 여러가지가 있지만
가면을 보고 이사람이 어떤

사람이라면이라는 보이스칼라가
맞아 떨어져야한다
<목적>이라는 것은
오브젝트이므로 사람이
살아갈때 내가 왜
움직이는것인지 내가
무엇때문에 말을 하는지에
대해서 내가 왜 행동하고 내가
올바른 배우로서 어떠한
목적의식을 갖고 그 오브젝트로
인해서 말을 받거나 대사를
뱉었을때 분명히 어떠한 특징을
보여주는것이다.내가말을
할때는 어떤 서브젝트로
다양하게 배우들만이 집중을
해서 표현을 할때

이유라는것이
필요로하는것이다그이유가 없이
말을 하자면 대사를 하는
경우에는 의미가 있는
부분이기도 하다
가장생각하기 쉬운 부분에서는
도구를 사용한은것이나 가치를
집었을때 이 마임의 정서가
어떠한 방법을 써야하는지에
대해서 손쉽게 알수있는지에
대한 의문점이다.가위를
시각적으로 봤을때 내가 누구를
위해서 내가 누군가에게 하는
말이 필요할것이다
그마임 분석에서
이루어지는것이 바로
상식적으로 이해를 해봤을때

내가 어떠한 사고를 다양한
분석을 통해 신체를 사용을 해서
해결을 하고 목적의식을 갖고
손을 이용을 한다.구지 손이
아니더라도 발로 어떠한것을
찾을때 그것을 사실적으로
어떠한 개념을 파악했을때 그
의도가 정확히 떨어져서 행위를
한다던지 어떠한 반을에 액팅을
해주어햐한다.
그래서 목적의식을 두고 그안에
서브텍스트가 무엇인지
정확하게 알아야한다.만약 내가
가위로 무엇을 자른다고
한다던지 그 자르는 용도나
단위를 통해서 계산하고

분석을해보며 마임에 따라서
그에 맞게 액팅을 해주면된다
<신체>라는것은 발성이나
소리훈련법을 증강시키기위한
훈련들이다 신체에서 자연적으로
호흡과 딕션을 키우고 훈련을
하는 과정으로서 다리나 팔 어깨
배 목구멍 항문을 사용해서 폐를
열어 신체에 접해 소리나
발송호흡에 관한 훈련을
하는것이다.신체로 접근해
감정상태를 파악해 좀 더
섬세하게 표현하는
방식이다.신체로 인해서 침이
나오지 않고 맑은 목소리와 숨을
키우기 위한 훈련이므로
사실적인 연기에도 효과가 있다

이걸 신체로 접근해 감정상태를
파악해 좀더 섬세하게 표현하는
방식이다.신체로 인해서 침이
나오지 않고 맑은 목소리와 숨을
키우기위한 훈련이므로
사실적인 연기에도 효과가 있다
사실적인 연기의 요소에 신체를
접촉시키면 유동성이나
유연성을 쉽게 파악해 움직일 수
있고 인체적으로 신체를
부드럽게 해주어 맑은
정신상태로 사고화할수있게
도움을 줄수있다 신체극에서는
손마디를 훈련시켜서
자동성이있게끔 연출을 유도해
마임극이든지 신체현상이
일어나는 극 자체를 형성하여

무대에서 깊이있게 내면의
심리는 분석해 볼수있다 내면의
심리를 알수있는 요소는 소리와
기흉 자체를 열어서 신체를
접근하게된다면 신체에 대한
여러지 요소들을 알수있으며
훈련과정을 통해서 이동속도나
이동거리에 대한 과학적인
지각이 부여될수있으므로
유동성을 키워 움직임에 대한
분석과 함께 맑은 소리를
낼수있는 기체를 포함시켜 좋은
공기를 빨아들일수있는
환경적인 요소들을 손쉽게
습득할수있다.신체에서는
빳빳한 다리근육을 유연하게

사용해서 자유자재로
내면화시켜
인격체를 형성할 수있으므로
또다른 방법으로 검술훈련을
통해서 좋은 목소리나 좋은
호흡을 증가시키면 맑고 깨끗한
정신으로 신체를 사용해 내
육신을 지키며 배우의
혈액순환을 들을 수있다
발음>이라는것은 정확한
딕션에서 사용되는 중요한
순간이자 도구이다. 이 중요한
가증법에서 발음이라는 요소는
신체에도 작용을 할 수있고
화술은 말하기 위해서 오인되는
부분에서 큰효과를 볼수가
있을것이다

무엇이냐하면 내가 정확한 딕션을 주기 위해서 발음을 잘 사용을해서 리듬미컬한 표현을 사용해야하는데 발음이 뭉개지거나 중간에 발음에 문제가 생기면않된다 예를 들어서 접히거나 세거나 하는것이다.발움이 세거나 그럴때는 펜을 입에다가 물고 발음연습을 할때 "가 "갸 "거 "겨 로 연습을 하는것이 좋다

사실적인것과 표현적인것은 농도에 지나쳐서는 않된다.그러므로<감정>에서는 조금 더 섬세한 표현을 해주어야한다.감정은 상황에

따라 변하기 마련이다 감정선을
항상 다르다.감정선에서 에러가
걸리면 내면을 파악할수있고
표현을 제대로 하지못한다.이때
정확한 발음과 소리로 감정을 좀
더 섬세하게 표현해줄려면
기억과 상상력을
높여야한다.상상력을 높이기
위해서는 즉흥 상황연기가
중요하다 내가 어떤 상황에 처해
져있는지
내가 더하고 싶은 어구가
무엇인지에 대해서 정확히
알아야한다 연출을 할때도
관객의 시선을 좋게 끌게하기
위해서는 상황을 분석해봐야한다
<오감법>이라는것은

촉각시각청각후각미각을 뜻하는 단어이나 여기서 내가 느꼈을때의 정서적기억법과 감정을 훈련을할때 사용하는 용도라고 보이면 됩니다<메소드>라는 정서적기억법으로 상상으로 내 내면을 동원해 정서적 사실적인 구성을 해서 연기에 접해야 하는것이맞는 이치이다.사실적으로 표현을 할려면 육감이 하는것을 해야 하며 그 육체적인것과 정신적인것 복합해서 이루어지는 것이므로 사고와 감정이면서 살아 있어야하므로 이것에 따라 만약 가상현실 시나리오에

들어있는 내용이 현실과
비슷하게 떨어진다면 나는
어떠한 감정을 표현 할것인지에
대해서 설명해야한다
벽을 쳤을때 내가 받았던
자극이라던지 반응을 사실적으로
섬세하게 표현되어주어야

하며 마임이나 움직임을
해줘야한다.촉각이라는것은
만졌을때의 느낌인데 내가 컵을
만졌을때 어떠한 자극과 반응이
생기는가하며 시각에서는 내가
이걸 봤을때 어떤 자극과 반응이
있으며 청각을 들었을때 후각은
냄새를 맡았을때 미각의 맛을
봤을때와 어떤 자극과 반응이
있으며 청각을 들었을때 어떠한

자극과 반응이 생기는 가하며
시각에서는 내가 이걸 봤을대
어떤 자극과 반응이 있으며
청각을들었을때 후각은 냄새를
맡았을때 미각은 맛을 보았을때
가장 적합한것은 시점이라는
것이다 과거이라는 말이다
여기서 오감은 맛이나
육감이라는것을 영혼적인
현상이나 육체와 신체를 벗어나
육감으로 하는 영혼의 메소드를
하는것이다<내면>이라는것은
단지 표현을 해서
되는것이아니라 나의 인격에서
가장 부여할수있는 종합적인
심리라고
볼수있다.그러므로<내면>의

세계를 잘 들어보면 신체와
감정의 정서를 잘 표현하면
그마만큼 인격체가 잘
형성되어서 나의<내면>의
충동과 자극을 잘 황용할수있다
<소라>라는것은 무엇이냐면
호흡과 정서를 표현해서
인위적으로 만들어 지지 않은
공기와의 매체성이라고한다
소리가 들리지않으면 당연히
듣는이라던지 관객들이 이해하기
힘듭니다
그러기 때문에 배를 오므렸다가
뱉어내서는 자동성 호흡훈련과
더불어 배에 실질적으로
들어가는 포인트를 개선해주는것
또한 마찬가지로

좋은
부분입니다.자동성이라는것은
그대로 자동적으로 계산적이거나
기계적이지 않게 하는
훈련입니다 포인트를 봐서라도
이부분을 통과해서 맑은 소리를
적합할수있습니다
여기에서 "침"이 나오면
않됩니다.침이 나오지 않고 또한
신체적인 훈련을 통해 재데로된
훈련을할때는 가스배출도 당연히
해주어야한다.또한 신체에서
자꾸자꾸 머리를 돌려서 신체와
상체를 전반적으로 유연성있게
풀어주어 하품을 자꾸
해주어야합니다 하품을 하게
되면 에너지 상태가

나가기때문에 처음으로
느낄수있는것들
이있습니다.상체를 펴거나
접거나 하체를 펼쳐서
오므라지던지 자전거를 탄다던지
아니면 다리 플렉시블하게
움직인다던지 신체를 가꾸는것이
좋습니다.신체또한 움직여주어야
이 자동성을 발휘해 소리또한
정확히 좋아집니다
또한 목소리 상태를 좋게하는
방법입니다
소리를 쎄게 걸렸을때 굉장히
목에 스며드는것이 많을겁니다
고집이 쎄어야합니다.소리는
아니거와
발성호흡입니다.에너지에서는

화학이 보이지만 이 소리를 통해 자동적으로 눈과 코를 벌릴수있습니다
&lt;사상&gt;이라는것은 어떤것이냐면 내 내면과 성격이자마자 상상이 되면 인생관이 라는것이 생각할수밖에있다.이 사상에서는 내 인생을 어떻게 살아왔느냐 내 인물구축에서 어떠한 시행착오와 좋았던일 싫었던일 긍정적인 사고 방식 부정적인 사고방식은 어떤것이였을까? 내 인생을 표현해서 말하는것이지만 또다른 인물이 이 인물구축에 대해서 어떠한 방식을 하는 수많은 장면들이 생겨난다.그렇기

때문에 이상황 장치를또한
잘할려면 내가
(농부)역할이 들어 왔을 때
농사짓기를 해야할 것인가?라는
추론이다<메소드>라는 것은
그러한것이 하나의 방법에
돌출된으미입니다.그렇기 때문에
의 인물을 구축을 할때 내가
태어나서 지금까지 이
시나리오에 있는 사람같이
행동을 하면서 살아 왔을까 하는
추론과 또한 구축을 했을때 내가
이 시나리오에 가담할수있을까?
이 가상현실과 직접할 수있는
다른 개념이 라는 것이다
그렇기 때문에 항상 내 마음대로
추론하지말고 그들의 가상현실의

인물의 자아를 잘 분석해보았다
<사상>은 하나의 인물에 대한
가치관념이므로 누구나 쉽게
생각하지 못할 수 있다.그러기
때문에 항상 훈련을 통해서
바로바로 그 상황전개를
해야한다
<성격>이라는 것은 말 그대로 그
인물의 태도라던지 정서나 개념
그리고 사생활에도 해당이 되는
부분이다.성격구축에서는 오히려
성격보다는 자아를 더
생소화하여 알려주고
있다.성격에서는 나쁘다 좋다고
끝나는 것이 아니다.분명히
성격에서는 좋은 장점과
나쁜단점들이 있는것이다

그뜻이 무엇이냐면 좋은 장점은
나쁜단점이 있는 것이다.좋은
장점은 직업이 악마여도
살인마나 도둑 범죄자등 같은
인격체라도 분명히
내면세계에서는 착한내면과
나쁜내면이있을것이다
또한 천사같은 인격체라도
내면이 분명히 나쁜것들이있다.
이 결과 내명이 라는것은 언제나
작용하며 결국에는 마찬가지로
긍정적인 뜻과 부정적인 뜻이
있기에 마련이다.성격에서는
온순하다,
활발하다,단순하다,"하다"로
끝을 맺어야 한다.그렇기 때문에
항상 나쁘다,아니다,성격을

나타낼때는 무조건 "하나"로
끝을 내야한다.<역할>이라는
것도 마찬가지이다 악마 역할
선한 역할 이렇게
되는것이아니다 특정적인 직업을
나타내는것이다.
<농도>라는 것은 정도라는뜻이
라는것이다.갑감정이 나타내는
상태이나 내 자아가 실현이될때
얼마만큼 크기의 개념을 가지고
있다는것이다.<농도>에서는
배우본인이 자아상태라던지
내면의 정서를 깨낼때 내가
표현하고자하는 방식에 대해서
퍼센트의지를 알아봐야한다.내
감정은 어떻게 돌아가는지
그안에서 내면세계는 어떤

정도가 분출이 되어야하는지에 대한 개념을 알아야한다.그래서 내 농도에 따라서 움직여야하며 농도에 따라서 무대에서나 카메라안에서 계산식이기 않고 관객이 잘 볼수있게끔 조직하면된다

<농도>라는 개념은 내 스스로가 만들어내는것이 아니다.내 스스로 만들어낼수있는 물릴수있는것이 아니다 자극과 반응에 대한 치밀한 분석에 의해서 만들어지는 것이다.그렇기 때문에 훈련을 할때도 항상생각해야하는것은 그러한 부분을 추려내야한다. 그사실적인 연기를 보여줄때도

내가 앉을때 액팅을 할때 내가
마임을 쓸때도,각각의 농도가
다른것이다.20%의 표현력을 쓰면
80%의 사실을
보여주어야한다.여기서<사실적
연기 >라는것은 그대로의 사실을
부여시켜 가상현실과 현실과
맞추어가는 형식을
말한다.그렇기때문에 사실적으로
표현해주고 사실적주의
소설이나 희곡을 많이
읽어봐야한다.그래서 사실적인
연기를 할때마다 육신과 정신을
맑게 해야한다
<공연예술>이라는것은
무대에서나오는 연극뿐만아니라
오페라,중화술,복화술,서커스,삼

바댄 스,무대나
거리극에서하는것들이
공연이라는 점이다.공연을
예시로 들자면 오페라 같은
경우는
큰발성을 가지고 에너자를
포함시켜 음악극형태로 발전시켜
알렉산더 테크닉법으로 훈련을
가담시켜 동선이나
행동,움직임등을 섬세하게
보여주는 적합하기도
한다.<공연예술>에서는 또한
서커스라는 것도 있는데
동춘예술단에 가보면 서커스를
행한다 서커스는 저글링 마임
두발자전거등으로 관객들에게
보여질때 극한사이언스를

해주는것이 독창적이고
특이해진다


풍선불기에서도 남들이 제작한
순수예술작품을 가지고 나아갈때
'던지기'          '유인하기'
'터트리기'에대한 과감한 스킬을
가지고          즐거운          공연을
할수있어야                 한다.또한
삼바댄스공연같은 경우는 거리극
예술이지만 풍요롭게 아름다움을
즐기는
자연적인 축제다.여기서 연극또한
공연예술에 속하는데 연극은
크게 두종류이다.희극 비극이기
때문이다 희극은 무대에서 좀더
밝게 기승전결을 좀더

확대하자면 첫머리에서는 가벼운
사건들을 만들어 쓸수있지만
중간머리에서는 조금씩 사건을
확산시키던가 다른식으로 나중에
마무리는 행복하고 즐거운
결말로 이루어진것이다
그러므로 공연예술이라는 것은
과학적으로
무궁무진하다는것이다
공연예술에서 연출도 좋았지만
연기톤에대해서도 굉장히 중요한
요소들을 가지고
있는것이다.연기톤에서 발간은
공연이기때문에 움직임과 동선
그리고 적합한 스피치 마임
플롯의 개념에 대해서 잘
알아야한다.움직임과 동선은

배우들에게 움직임에 내다보면
포인트에 서있는
것이기때문이다.동선이라는 것은
내가 플롯에 맞게 잘들어가는지
균형이 잘이루어지는지에 대한
검사를 해봐야
하는것이다.동선을 할때
움직임을 먼저되고 대사처리를
잘해야한는것이다.그렇기 때문에
동선에 있어서 움직임에 있어서
번거롭지 않아야한다.그래야
내면에있어서 생각이 적합한가를
파악할수있다.
탈춤또한마찬가지이다 마스크에
들어있는 얼굴의 형태는 가지고
그것에 맞게 목소리를 내고
움직여야한다.그러면        춤과

리듬과 율동에 맞게 발생하는 요소는 맞추면되는것이다.연극공연도 마찬가지이다 대극장에서는 리양스와 발성이 더 들어가야하며 중극장에서는 80%소극장에서는 30%사용할수있다 가옥집같은 곳이라던지에 대한 장소구별없이 시대에마다 다르게 라이브무대도 설치해가면서 좌석을 제작하며 그 제작후에도 관객들이 모여있다고 해도 페스티벌 같은것을 했다는것이다.그당시'가면'이라는 것도 풀이가

되었다.가야시대나
마야문명때도　가면이라는것은
항상 존재한다
　　　이탈리아로마시대에서는
콜로세움관객에 **1** 년에　수차례
많은　　　관객들을　　　동원해
공연무대에　쓸수있게　되었으며
펜싱,신체극등을
표현해주었다.공연에서는
첫번째로 배우들의 마음 내면을
실어　인격이　하나가　되어야
한다는 의미이다 공연이라는것은
한　호흡으로　가기　때문에
장면마다　　　　　끊어지면
않된다는것이다　영화배우들도
나중에　무대에서　　기본적인
자세를　배우기　때문에　무대에

대한 기구장치에 대해서 묘사할수도있다

<Ghost 연기법이란 사람이 육체에서 벗어나 정신적으로 피곤한 상태에서도 인체에대한 해결책을 내어 연기를 하는 법칙을 의미한다 이 연기법을 다양한 기법들이 나오는데 이연기법에서 제일 중요한것은 그 인물이 되어야 한다는 중요한 포인트이다.쉽게 말하자면 극적인 연기법이다 .이극적인 연기법에서는 다양하게 동양,서양을 탐구할수있다 동양에서는 귀신이라고 부르지만 서양에서는 고스트라고도 한다.그러기에 육감을 사용해서

하는방법이다 심리적으로
두렵거나 흥분될때 연동되어
쓸만한 장면에서 같이 생각하고
'사이코패스'나 '소시오패스'같은
'천사'같은 '훌륭한' 물질적인
인물을 탐구하면서 외부밖에있는
뜻으로 말이므로 귀신연기법을
굉장히 알아두는것도
좋은방법이다

기서 지적이라는것은 그냥
지식이 아니다 생각관념이
라는것이다 세계관이라는것이다
신체적인것은 분명히 뭔가가
포함이 될것인데 복식호흡과
발성을 하기위해선 몸을 완전히

힘을 뺀 상태서 호흡을
하는것이다 정신적이라는것은
기본적으로 않좋은 정신관념과
좋은 정신관념이 있다는것이다
정신관념은 다양성을
부여하고있다 우리가

높은 톤과 낮은 통에 대해서
생각을 하겠다 높은 톤은 감정에
일깨워져 나는 소리라는 것이다

하지만 이 감정이 통제가 되서
내면으로 생각을 해봐서 호흡을
낮추고 컨트롤을 하게된다면
바로 좋은 결과가 나올
수있는것이다 낮은 톤은
마찬가지이다 하지만 이 어떠한
인물설정에서 낮은 톤으로
말하는 사람이 있을 것이다
그것은 무엇이냐면 성격이
차분하거나 격하지않은 사람의
역할이 들어왔을때 적용하는것이
좋다
외적인 성격 묘사라는것은
말하는 그대로 외부로 내
성격자아를 표현하는 것이다
외부라는것은 내면이 분명히
필요하다 왜>

내면이 우러나와서 감정도
표현해 봐야하는것이다 내면의
표현은 다양하다  희 노 애 락
이라는 것이다 이 표현을 하기
위해서는 우리는 항상 감정을
중요시 생각지 않고 내면을
중요시 여겨서 다양한 매체를
통해 내 마음가짐을 중요시
하라는 이야기이다
인물에 옷 입히기
인물에서 설정을 할때 성격 나이
키 몸무게 성별 등 을 설정을
해야겠다라는것이다
이성별을통해서 남자가 여자
역할을 할수있는것이고 여자가
남자역할을 할수있다 성격은
이기적이지만 내면 안에는 정말

천사갖은 마음을 가지고있는
사람들이 있다 또한 키에 따라서
시각적인 것과 나이에 따라서
목소리 칼라라던지 발성과
호흡이 바뀔수가있다는것이다
몸무게에 따라서 행동과
목소리와 자기만의 표현 방식
제스처 가 달라질수있다
의상 연출
공연에서 배우에게
의상이라는것은 중요시
여겨야할부분이다
공연에서는 무조건 남들한테
맡겨선 않된다는 이유이다
자기자신이 의상을 입고
곰팡이가 까득한 의상을
입는다고 해도 그 역할이면 그

직업이면 그렇게 할 수 밖에
없다는 것이다 그러므로
스타니슬라브스키는 이
의상연출에관해서 연출자 말고
공연배우에게 직시를 했다
그러므로 이런 직업을 가진
역할이라면 의상도 연출을
해야할것이라는것이다
등장인물과 배우의 유형
등장인물이라는것은 공연에서
쓰여야할것이다 공연에있는
배우들 전체적으로 공연에
서야한다 그러므로 이
등장인물에는 다양성을
추구할수있다 등장인물들은
배우들끼리도 소통이 되지만
관객들에게도 상호관계를

펼칠수가있다 그러므로 잘
생각해야한다 이 세계관을
펼칠때도 마찬가지이다 그러므로
등장인물은 당장 배우들과
신체적훈련과 스피치훈련 가면
예쭈드 스타일 분석등을
해주어야한다 그렇게된다면
배우들의 유형이라는
것은무엇일까? 각자다른
배우들이 있다 어떤배우들은
시간을 않지키는 배우들 또는
어떠한 상황이라도 피할려고
하는 배우들 이러한 배우들을
육성을 시킬려면
사람이되어야한다는 뜻이다
거울 속의 내면화

이 거울이라는것은 꽝장한
표현이 들어간다 거울을 보고
항상 내 표정을
관리해야할것이다 배우들은
특히나 표정관리를 못하는
경우가 대부분이다 그러므로
상식적으로 이해가 않되는
경우는 무엇이냐면 거울 을 보고
연기를 해라는 것은 말도
않되는것이다 거울을 보고
어떠한 상황을 사고화해서 그
거울
을 통해서 내가 과연 이 표정을
표현해야겠냐이다
표현력있는 몸 만들기
우리가 신체를 표현할때
몸이라는 것이 존재한다

그러기때문에 이 신체를
재구성해서 좀더 풀어줘야한다
이 신체는 호흡과 딱딱한 몸을
풀어주기위한 방법또한이지만
신체에서 사용될수있는 언어들을
생각해봐야한다 그언어들은
과학적인 방법이다 자 신체를 **1**
로잡고 몸을 **2** 로 잡으면되는
방식들이다 신체에서 벌써부터
자리를잡게된다면 풀어준다면
딱딱하고 자연스럽지않게되는
행위가 발생하지않는다
가면극의 탄생 논문시작 페이지
**1**
페르소나는 고전시대부터 이어진
전통예술극으로로서
마스크연극으로 성격구축을 통해

가면의 형태를 만든다
가면이라는것은 '내면'에서
우러나는 부분이 강하고 내면에
까지 복종하지 말라라는 뜻으로
생겨진 의미이다 주로 가면을
쓰는 이름은 그 역할을 상상력과
사고로 쉽게 풀어낼수있다
인형극이란 더빙으로 무대에
소리를 확장신켜 배우들의
움직임이나 마임을 사용해서
올리는극이다 인형극은 소리에
집중을 해서 대사를 들을때마다
손동작이나 마임으로 표현을
해주어야한다
표현은 자유롭게 사실적인
요소로 표현적인 요소로 번갈아
가면서 호흡을 내면서 실시하는

극이다 스타니슬라브스키의
성격구축에서는 내 자아가
어떠한지에 대한 깊이와
사실적인 연기를 구축할수있다
사실적인 연기라는 것은 그
인물자체가
행동,모습,제스처,상황 들을
연출했을때 현실과 비슷하게
그려내면 되는것이다
여기서 표현법이란 내 내면에서
진실로 우러나와 대사를 할때 내
제스처나 행위 모습 성격을
나타내면되는것이다 이것으로
자아를 표현할수있으며 자아를
표현함으로써 정서를 살릴수있다

정서에서는 기억법과 상상력이 존재한다 기억에서는 과거 현재 미래가 있습니다

과거에는 내가 해놨던거과 가상과 접촉이 가능할까? 라는 의문점입니다 가상에서는 시나리오라는것이 존재하기에 이유입니다
시나리오에서는 내가 과거에 했던일과 비슷한것일까? 그러면 자극이라는 충돌이 생깁니다
자극이라는것은 그래서 자극을 받은후에 반응을 보이면 그래도

표현을 하면서 상대방괴
스피치를 하는 순간입니다
스피치라는 것은 익살스러운
테크닉법에서 쓰이는 말이므로
주기적으로 연기를 통해서
상대배역과 말과 말로써
자연스럽게 화술을 사용하면서
국어체식이 아닌 아나운서식이
아닌 매우 실생활과 비슷하게
얹힐수있는 말을 쓰고 받아
감정을 자제하는 훈련으로
소리와 공기를 실어서
낮추어 상대배역을 도구로 삼지
않는 순간순간을 만드는것입니다
즉흥연기에서는
상황,분위기,상태변환,서사적기
법이 있다 순간순간을

만드는것이다 즉흥연기에서는
상황,분위기,상태변환,서사적기
법이 있다
자신이 자연스럽게 상상력을
동반해서 작동하는 상황이다
즉흥상황에는 여러가지
색깔이있습니다
<딕션>에서는 맑은 소리
좋은소리를 낼수있는 다양한
음성을 내야합니다.그
딕션에서는 어떠한 화술훈련
자체가 필요로 한것도
있습니다.정확한 소리 정확성에
대해서
파악할수있습니다.여기에서
딕션은 소리를 낼때 한단어
한단어

씩 끊어서 저기 저기 하는
음성자체를 들어야합니다
물었을때와 부탁했을때의 아조나
톤이 다르기 때문에입니다
그래서 의문문 긍정문이
있습니다 여기에서
의문문으로써는 내가 물었을때
어느단어를 강조해서 입으로
뱉을것인가를
고민해봐야겠습니다
전부다 오브젝션이 다르기
때문입니다 그래서 정확성있게
정확한 발음을 전확한 소리가
기초적으로 학습이어야합니다
여기서 발음 부분에서 혀을 쓰는
법칙이라 혀를 천장끝에서부터
위아래로 왔다갔다 하며 신체를

오무리고 "침"이 나오지 않는
법칙으로 보존받기위한
법칙입니다 또한 음성에서
보이스칼라라는 부분이
들어갑니다
보이스칼라는 그대로의 의미의
조직을 해주는것입니다
만약이 사람이라면 내가 어떠한
혀의 구조물로 내뱉는것이더
소라를 지르지만 음성을 섞어서
내는 구조공간이라고
생각이된다
<화술>은 말하는대로 발성과
호흡을 실어서 딕션을 사용해서
평상시에 말하는대로의 상황을
인식하고 내몸에서내는
기술입니다 이 기초적인 화술이

없으면 감정이 선명하다고해서
내면상태가 올바르더라도
절대로 무기로 쓸수없습니다
자연적으로 연극톤을 사용래서
마치 공기와 끼얹듯이
활용을하면됩니다
신체 는 소리와 유연성을
길러주기위한 수단입니다
그러므로 여러가지 방면에서
힘이들어가는 포인트를 구성해야
할것입니다
신체를 유체적으로 사영한다는
전제하에서 내가 어떻게 신체를
쓰면 소리와 감각을 오감을
느낄수 있는지를 연상하면
됩니다 단 연기서 신체를
사용할대 침과 섞어내지않고

목구조를 사용하는 법칙또한
있습니다 몸에 힘을 푸는겁니다
마임은 기계중심적인 형태의
모션이 이루어지는 것입니다
"자연"법칙에 의해서 도구를
만지는 촉감입니다.드는힘의
용도로
사용하여 마임을 쓰는 순간마다
힘이 작용하며
그힘에 따라서 감정의 농도에
변화가 분출된다.그러므로 이
마임을 쓰는 공간에서
표정연기의 형태이나
자동적으로 될수있는 형식을
말한다.자연의 법칙에 따라
마임이 "사고"를 통해서
이루어지는 스킬이나 도구를

만졌을때 어떠한 목적성으로
인해서 자발적으로
의식하면됩니다.
이 형식은 율동적이지 않고 내가
움직일수있는 공간을 만들어내고
창조하는 역할이다. 무게는
감정의 농도에 따라서 좌우가
될것이며 힘은 내가 생각하고
있는 사고형태를
통해서 ,자연적으로 의식을
하게된다
마임에서는 여러가지 동선을
짜야 된다믄 생각입니다.내가
만약 누군가에게 어떠한것을
선물해주었을때 그때 느끼는
감정선을 어떠한것인지 또한
신체에서 어느 흐름안에서

상황을 전개시킬수있게
될것인지에 대해서 사고화해서
내가 충족할수있는
내면세계안에서 이루어지는
겁니다
내 배경지식안에서 어두울때
밝을때를 봤을 때를 봤을때 어떤
사고를 할것이며 또한 그 사고를
통해서 어떠한 감정표현을
할거이며
어떠한 보이스칼라를
보여주는것을 뜻합니다
그리하여 "농도"를
측정되는것이
적합하다고생각합니다

<움직임>이라는것은
동선을짜서 마임을 만들어내거
행위 즉 행동을 하는 모션이다
이 모션이라는것은
정서,분위기,상황들을 고려해서
직접분석할 수 있다.물론 신체를
사용해서 훈련을 통해 상대
배우와 동선을 짜서 다리나
인체적으로 자동성이
필요하다.이부분은 간략하게
설명하자면 움직임이 필요로
해야 감적의 표현이라던지
액팅을 할 수 있다.여기서
액팅이라는것은 손에서
이루어질수있고 발에서도 이루어
질수있습니다

움직임은
섬세해야한다.움직임에서
사실적으로 표현한다고했을때
시각적인 요소로 분명히
좌우할수있을것이다.시각으로
먼저보고 듣고해서 자극과
반응을 유도해야한다
자극을 받았으면그 만큼의
감정의 농도를 분석해서 그에
맞게 움직임을
해주어야한다.움직임에는
발이나 필라테스를 하는것도
중요합니다 이훈련을 통해서
상대배우가 어떻게 동선을
생각하고 그부분은 그려내서
사고화하여 그라운드를
형성할수있는지에 대해서이다

이 그라운드를 형성을 하면
어디로 움직일것인지 어떻게
언제라는 생각할수있다
그렇기 때문에
동선을미리짜놓고 무대에서
누군가에 서있어거나 누군가는
움직이고 시각적인 측면에서
볼것이다. 무대에서는 누군가
포인트를 잡아서 서로 훈련을
해주어야하는데 원을 하나
그리고
즉흥연기,신체훈련,보고듣고
느끼는 자각훈련등을
해봐야한다.마임으로 하나의
움직임에중요한 요소이니
마임을 통해서 실제로 있는지
없는지 상상해서 소리를내어

목소리 즉 보이스칼라를 실어 움직임의
동선을짜야한다.즉흥연기도
마찬가지이나 상상을 통해서
상황을 그려내서 움직임을
접해서 한순간 한순간 마다
산소를 통한 움직임을 통해서
크게 동선을 짜야할때 훈련법에
의해서 어떤 배우는 왼쪽으로
무브먼트를 하고 그 시나리오
플롯에 맞게 서있다가 대사를
할때 타이밍에 맞추어 여러가지
방면에서 움직임에대해서
생각을 해봐야한다 신체훈련을
통해서 침이 고이지 않게 발성과
호흡 단단히 하고 내가 움직일때
대본과 같이 움직여야 한다는

사실적인 부분을알아야 나중에
움직임을 해서 표현을 할 수있다
동물연기란 사이코매틱에
나오는 단어라고 생각하면
배우가 연기를 하는데 있어서
한계점에 부딪칠때 자연의
이치에 따라서 배우가 접선을
해야 되는것이다.예를 들어서
배우가 배고픈장면을 연출하고
싶을때 내가 만약 사람이 아니고
신비로운 동물이라면 이 감정의
농도가 너무 시나리오에
지나치면에 반해서 동물연기를
함으로써 보이스칼라는 바뀌게
되어있다 .여기서
보이스칼라라는 것을 어떤
동물이 호랑이라고 생각한다면

호랑이의 목소리를 비유해서
만들어내는 답례라고 생각한다
호랑이 소리와 흉내내고
하는것을 사람과 같이
혼합시켜서 나타내는
자아이다.여기서인격이라는
것이 깨지지 않는 이상 좋은
접근법이다.내가 사람일때
특정인물을 잡아서
사이코매트릭으로 변신을
하는것을 내세웠을때 이배우의
정서를 파악해서 그대로의
인간미를 보여주되 인격이
살아있으며 동물이 자연적인
현상을 표현해주면 되는것이다
여기서 보이스칼라뿐만 아니라
행위,모습,얼굴표정,무브먼트형

식자 체에도 이동물화현상이
필요하다고 생각한다
메소드라는 부분에서 감정이
격해질수록 이 동물연기로서
감정표현이 자제되고
감정표현에 있어서 내면이
보이는 까닭이다.비극에서
동물연기를 나타낼때는 감정을
희 노 애락중에 "애"자를 쓰면
상황에 맞게 슬플때 상황이 내가
감옥에 들어가있을때를
상상해서 사고화해보면
어떤것인지 내가 "애"자를
쓰면서 혹시나 상황이 긍정적인
상황이면 그 내심이 어떻게
작용을 하는지에 대해서 상황을
해석할줄

알아야합니다.그러므로
동물연기는 심리적인것인것과
상황에 맞게 내가 어떤 색깔의
동물을 선정해서 연기를 하며
감정을 자제를 했을때
어떠한결과에 맞썰덧인지에
대해서 고민해봐야한다
동물연기를할때 마스크를 쓰는
방법으로 여러가지가 있지만
가면을 보고 이사람이 어떤
사람이라면이라는 보이스칼라가
맞아 떨어져야한다
<목적>이라는 것은
오브젝트이므로 사람이
살아갈때 내가 왜
움직이는것인지 내가
무엇때문에 말을 하는지에

대해서 내가 왜 행동하고 내가
올바른 배우로서 어떠한
목적의식을 갖고 그 오브젝트로
인해서 말을 받거나 대사를
뱉었을때 분명히 어떠한 특징을
보여주는것이다.내가말을
할때는 어떤 서브젝트로
다양하게 배우들만이 집중을
해서 표현을 할때
이유라는것이
필요로하는것이다그이유가 없이
말을 하자면 대사를 하는
경우에는 의미가 있는
부분이기도 하다
가장생각하기 쉬운 부분에서는
도구를 사용한은것이나 가치를
집었을때 이 마임의 정서가

어떠한 방법을 써야하는지에
대해서 손쉽게 알수있는지에
대한 의문점이다.가위를
시각적으로 봤을때 내가 누구를
위해서 내가 누군가에게 하는
말이 필요할것이다
그마임 분석에서
이루어지는것이 바로
상식적으로 이해를 해봤을때
내가 어떠한 사고를 다양한
분석을 통해 신체를 사용을 해서
해결을 하고 목적의식을 갖고
손을 이용을 한다.구지 손이
아니더라도 발로 어떠한것을
찼을때 그것을 사실적으로
어떠한 개념을 파악했을때 그
의도가 정확히 떨어져서 행위를

한다던지 어떠한 반을에 액팅을 해주어야한다.
그래서 목적의식을 두고 그안에 서브텍스트가 무엇인지 정확하게 알아야한다.만약 내가 가위로 무엇을 자른다고 한다던지 그 자르는 용도나 단위를 통해서 계산하고 분석을해보며 마임에 따라서 그에 맞게 액팅을 해주면된다

<신체>라는것은 발성이나 소리훈련법을 증강시키기위한 훈련들이다 신체에서 자연적으로 호흡과 딕션을 키우고 훈련을 하는 과정으로서 다리나 팔 어깨 배 목구멍 항문을 사용해서 폐를 열어 신체에 접해 소리나

발송호흡에 관한 훈련을
하는것이다.신체로 접근해
감정상태를 파악해 좀 더
섬세하게 표현하는
방식이다.신체로 인해서 침이
나오지 않고 맑은 목소리와 숨을
키우기 위한 훈련이므로
사실적인 연기에도 효과가 있다
이걸 신체로 접근해 감정상태를
파악해 좀더 섬세하게 표현하는
방식이다.신체로 인해서 침이
나오지 않고 맑은 목소리와 숨을
키우기위한 훈련이므로
사실적인 연기에도 효과가 있다
사실적인 연기의 요소에 신체를
접촉시키면 유동성이나
유연성을 쉽게 파악해 움직일 수

있고 인체적으로 신체를
부드럽게 해주어 맑은
정신상태로 사고화할수있게
도움을 줄수있다 신체극에서는
손마디를 훈련시켜서
자동성이있게끔 연출을 유도해
마임극이든지 신체현상이
일어나는 극 자체를 형성하여
무대에서 깊이있게 내면의
심리는 분석해 볼수있다 내면의
심리를 알수있는 요소는 소리와
기흉 자체를 열어서 신체를
접근하게된다면 신체에 대한
여러지 요소들을 알수있으며
훈련과정을 통해서 이동속도나
이동거리에 대한 과학적인
지각이 부여될수있으므로

유동성을 키워 움직임에 대한
분석과 함께 맑은 소리를
낼수있는 기체를 포함시켜 좋은
공기를 빨아들일수있는
환경적인 요소들을 손쉽게
습득할수있다.신체에서는
빳빳한 다리근육을 유연하게
사용해서 자유자재로
내면화시켜
인격체를 형성할 수있으므로
또다른 방법으로 검술훈련을
통해서 좋은 목소리나 좋은
호흡을 증가시키면 맑고 깨끗한
정신으로 신체를 사용해 내
육신을 지키며 배우의
혈액순환을 들을 수있다

발음>이라는것은 정확한 딕션에서 사용되는 중요한 순간이자 도구이다. 이 중요한 가중법에서 발음이라는 요소는 신체에도 작용을 할 수 있고 화술은 말하기 위해서 오인되는 부분에서 큰 효과를 볼수가 있을것이다

무엇이냐하면 내가 정확한 딕션을 주기 위해서 발음을 잘 사용을해서 리듬미컬한 표현을 사용해야하는데 발음이 뭉개지거나 중간에 발음에 문제가 생기면않된다 예를 들어서 접히거나 세거나 하는것이다.발움이 세거나

그럴때는 펜을 입에다가 물고
발음연습을 할때 "가 "갸 "거 "겨
로 연습을 하는것이 좋다


사실적인것과 표현적인것은
농도에 지나쳐서는
않된다.그러므로<감정>에서는
조금 더 섬세한 표현을
해주어야한다.감정은 상황에
따라 변하기 마련이다 감정선을
항상 다르다.감정선에서 에러가
걸리면 내면을파악할수있고
표현을 제대로 하지못한다.이 때
정확한 발음과 소리로 감정을 좀
더 섬세하게 표현해줄려면
기억과 상상력을

높여야한다.상상력을 높이기
위해서는 즉흥 상황연기가
중요하다 내가 어떤 상황에 처해
져있는지
내가 더하고 싶은 어구가
무엇인지에 대해서 정확히
알아야한다 연출을 할때도
관객의 시선을 좋게 끌게하기
위해서는 상황을 분석해봐야한다
<오감법>이라는것은
촉각시각청각후각미각을 뜻하는
단어이나 여기서 내가
느꼈을때의 정서적기억법과
감정을 훈련을할때 사용하는
용도라고 보이면
됩니다<메소드>라는
정서적기억법으로 상상으로 내

내면을 동원해 정서적 사실적인
구성을해서 연기에 접해야
하는것이맞는
이치이다.사실적으로 표현을
할려면 육감이 하는것을 해야
하며 그 육체적인것과
정신적인것 복합해서 이루어지는
것이므로 사고와 감정이면서
살아 있어야하므로 이것에 따라
만약 가상현실 시나리오에
들어있는 내용이 현실과
비슷하게 떨어진다면 나는
어떠한 감정을 표현 할것인지에
대해서 설명해야한다
벽을 쳤을때 내가 받았던
자극이라던지 반응을 사실적으로
섬세하게 표현되어주어야

하며 마임이나 움직임을
해줘야한다.촉각이라는것은
만졌을때의 느낌인데 내가 컵을
만졌을때 어떠한 자극과 반응이
생기는가하며 시각에서는 내가
이걸 봤을때어떤 자극과 반응이
있으며 청각을 들었을때 후각은
냄새를 맡았을때 미각의 맛을
봤을때와 어떤 자극과 반응이
있으며 청각을 들었을때 어떠한
자극과 반응이 생기는 가하며
시각에서는 내가 이걸 봤을대
어떤 자극과 반응이 있으며
청각을 들었을때 후각은 냄새를
맡았을때 미각은 맛을 보았을때
가장 적합한것은 시점이라는
것이다 과거이라는 말이다

여기서 오감은 맛이나 육감이라는것을 영혼적인 현상이나 육체와 신체를 벗어나 육감으로 하는 영혼의 메소드를 하는것이다<내면>이라는것은 단지 표현을 해서 되는것이아니라 나의 인격에서 가장 부여할수있는 종합적인 심리라고 볼수있다.그러므로<내면>의 세계를 잘 들어보면 신체와 감정의 정서를 잘 표현하면 그마만큼 인격체가 잘 형성되어서 나의<내면>의 충동과 자극을 잘 황용할수있다

<소  >라는것은 무엇이냐면
호흡과 정서를 표현해서
인위적으로 만들어 지지 않은
공기와의 매체성이라고한다
소리가 들리지않으면 당연히
듣는이라던지 관객들이 이해하기
힘듭니다
그러기 때문에 배를 오믈렸다가
뱉어내서는 자동성 호흡훈련과
더불어 배에 실질적으로
들어가는 포인트를 개선해주는것
또한 마찬가지로
좋은
부분입니다.자동성이라는것은
그대로 자동적으로 계산적이거나
기계적이지 않게 하는
훈련입니다 포인트를 봐서라도

이부분을 통과해서 맑은 소리를
적합할수있습니다
여기에서 "침"이 나오면
않됩니다.침이 나오지 않고 또한
신체적인 훈련을 통해 재데로된
훈련을 할때는 가스배출도
당연히 해주어야한다.또한
신체에서 자꾸자꾸 머리를
돌려서 신체와 상체를
전반적으로 유연성있게 풀어주어
하품을 자꾸 해주어야합니다
하품을 하게 되면 에너지 상태가
나가기때문에 처음으로
느낄수있는것들
이있습니다.상체를 펴거나
접거나 하체를 펼쳐서
오므라지던지 자전거를 탄다던지

아니면 다리 플렉시블하게
움직인다던지 신체를 가꾸는것이
좋습니다.신체또한 움직여주어야
이 자동성을 발휘해 소리또한
정확히 좋아집니다
또한 목소리 상태를 좋게하는
방법입니다
소리를 쎄게 걸렸을때 굉장히
목에 스며드는것이 많을겹니다
고집이 쎄어야합니다.소리는
아니거와
발성호흡입니다.에너지에서는
화학이 보이지만 이 소리를 통해
자동적으로 눈과 코를
벌릴수있습니다
<사상>이라는것은 어떤것이냐면
내 내면과 성격이자마자 상상이

되면 인생관이 라는것이
생각할수밖에있다.이 사상에서는
내 인생을 어떻게 살아왔느냐 내
인물구축에서 어떠한 시행착오와
좋았던일 싫었던일 긍정적인
사고 방식 부정적인 사고방식은
어떤것이였을까? 내 인생을
표현해서 말하는것이지만 또다른
인물이 이 인물구축에 대해서
어떠한 방식을 하는 수많은
장면들이 생겨난다.그렇기
때문에 이상황 장치를 또한
잘할려면 내가
(농부)역할이 들어 왔을 때
농사짓기를 해야할 것인가?라는
추론이다<메소드>라는 것은
그러한것이 하나의 방법에

돌출된으미입니다.그렇기 때문에
이 인물을 구축을 할때 내가
태어나서 지금까지 이
시나리오에 있는 사람같이
행동을 하면서 살아 왔을까 하는
추론과 또한 구축을 했을때 내가
이 시나리오에 가담할수있을까?
이 가상현실과 직접할수있는
다른 개념이 라는 것이다
그렇기 때문에 항상 내 마음대로
추론하지말고 그들의 가상현실의
인물의 자아를 잘 분석해보았다
<사상>은 하나의 인물에 대한
가치관념이므로 누구나 쉽게
생각하지 못할 수 있다.그러기
때문에 항상 훈련을 통해서

바로바로 그 상황전개를
해야한다
<성격>아라는 것은 말 그대로 그
인물의 태도라던지 정서나 개념
그리고 사생활에도 해당이 되는
부분이다.성격구축에서는 오히려
성격보다는 자아를 더
생소화하여 알려주고
있다.성격에서는 나쁘다 좋다고
끝나는 것이 아니다.분명히
성격에서는 좋은 장점과
나쁜단점들이 있는것이다
그뜻이무엇이냐면 좋은 장점은
나쁜단점이 있는 것이다.좋은
장점은 직업이 악마여도
살인마나 도둑 범죄자등 같은
인격체라도 분명히

내면세계에서는 착한내면과
나쁜내면이있을것이다
또한 천사같은 인격체라도
내면이 분명히 나쁜것들이있다.
이 결과 내명이 라는것은 언제나
작용하며 결국에는 마찬가지로
긍정적인 뜻과 부정적인 뜻이
있기에 마련이다.성격에서는
온순하다,
활발하다,단순하다,"하다"로
끝을 맺어야 한다.그렇기 때문에
항상 나쁘다,아니다,성격을
나타낼때는 무조건 "하나"로
끝을 내야한다.<역할>이라는
것도 마찬가지이다 악마 역할
선한 역할 이렇게되는것이아니다

특정적인 직업을
나타내는것이다.
<농도>라는 것은 정도라는뜻이
라는것이다.갑감정이 나타내는
상태이나 내 자아가 실현이될때
얼마만큼 크기의 개념을 가지고
있다는것이다.<농도>에서는
배우본인이 자아상태라던지
내면의 정서를 깨낼때 내가
표현하고자하는 방식에 대해서
퍼센트의지를 알아봐야한다.내
감정은 어떻게 돌아가는지
그안에서 내면세계는 어떤
정도가 분출이 되어야하는지에
대한 개념을 알아야한다.그래서
내 농도에 따라서 움직여야하며
농도에 따라서 무대에서나

카메라안에서 계산식이기 않고 관객이 잘 볼수있게끔 조직하면된다
<농도>라는 개념은 내 스스로가 만들어내는것이 아니다.내 스스로 만들어낼수있는 물릴수있는것이 아니다 자극과 반응에 대한 치밀한 분석에 의해서 만들어지는 것이다.그렇기 때문에 훈련을 할때도 항상생각해야하는것은 그러한 부분을 추려내야한다. 그사실적인 연기를 보여줄때도 내가 앉을때 액팅을 할때 내가 마임을 쓸때,각각의 농도가 다른것이다.20%의 표현력을 쓰면 80%의 사실을

보여주어야한다.여기서<사실적 연기 >라는것은 그대로의 사실을 부여시켜 가상현실과 현실과 맞추어가는 형식을 말한다.그렇기때문에 사실적으로 표현해주고 사실적주의 소설이나 희곡을 많이 읽어봐야한다.그래서 사실적인 연기를 할때마다 육신과 정신을 맑게 해야한다

<공연예술>이라는것은 무대에서나오는 연극뿐만아니라 오페라,중화술,복화술,서커스,삼바댄 스,무대나 거리극에서하는것들이 공연이라는 점이다.공연을

예시로 들자면 오페라 같은
경우는
큰발성을 가지고 에너자를
포함시켜 음악극형태로 발전시켜
알렉산더 테크닉법으로 훈련을
가담시켜 동선이나
행동,움직임등을 섬세하게
보여주는 적합하기도
한다.<공연예술>에서는 또한
서커스라는 것도 있는데
동춘예술단에 가보면 서커스를
행한다 서커스는 저글링 마임
두발자전거등으로 관객들에게
보여질때 극한사이언스를
해주는것이 독창적이고
특이해진다

풍선불기에서도 남들이 제작한
순수예술작품을 가지고 나아갈때
'던지기' 유인하기'
'터트리기'에 대한 과감한 스킬을
가지고 즐거운 공연을
할수있어야 한다.또한
삼바댄스공연같은 경우는 거리극
예술이지만 풍요롭게 아름다움을
즐기는
자연적인 축제다.여기서
연극또한 공연예술에 속하는데
연극은 크게 두종류이다.희극
비극이기 때문이다 희극은
무대에서 좀더 밝게 기승전결을
좀더 확대하자면 첫머리에서는
가벼운 사건들을 만들어
쓸수있지만 중간머리에서는

조금씩 사건을 확산시키던가
다른식으로 나중에 마무리는
행복하고 즐거운 결말로
이루어진것이다
그러므로 공연예술이라는 것은
과학적으로
무궁무진하다는것이다
공연예술에서 연출도 좋았지만
연기톤에 대해서도 굉장히
중요한 요소들을 가지고
있는것이다.연기톤에서 발간은
공연이기때문에 움직임과 동선
그리고 적합한 스피치 마임
플롯의 개념에 대해서 잘
알아야한다.움직임과 동선은
배우들에게 움직임에  내다보면
포인트에 서있는

것이기때문이다.동선이라는 것은
내가 플롯에 맞게 잘들어가는지
균형이 잘이루어지는지에 대한
검사를 해봐야
하는것이다.동선을 할때
움직임을 먼저되고 대사처리를
잘해야한는것이다.그렇기때문에
동선에 있어서 움직임에 있어서
번거롭지 않아야한다.그래야
내면에있어서 생각이 적합한가를
파악할수있다.
탈춤또한 마찬가지이다 마스크에
들어있는 얼굴의 형태는 가지고
그것에 맞게 목소리를 내고
움직여야한다.그러면 춤과
리듬과 율동에 맞게 발생하는
요소는

맞추면되는것이다.연극공연도
마찬가지이다 대극장에서는
리양스와 발성이 더
들어가야하며 중극장에서는
**80%**소극장에서는
**30%**사용할수있다 가옥집같은
곳이라던지에 대한 장소구별없이
시대에마다 다르게 라이브무대도
설치해가면서 좌석을 제작하며
그 제작후에도 관객들이
모여있다고 해도 페스티벌
같은것을
했다는것이다.그당시'가면'이라
는 것도 풀이가
되었다.가야시대나 마야문명 때도
가면이라는것은 항상 존재한다

이탈리아 로마시대에서는
콜로세움관객에 **1**년에 수차례
많은 관객들을 동원해
공연무대에 쓸수있게 되었으며
펜싱,신체극등을
표현해주었다.공연에서는
첫번째로 배우들의 마음 내면을
실어 인격이 하나가 되어야
한다는 의미이다 공연이라는것은
한 호흡으로 가기 때문에
장면마다 끊어지면
않된다는것이다 영화배우들도
나중에 무대에서 기본적인
자세를 배우기 때문에 무대에
대한 기구장치에 대해서
묘사할수도있다
**<Ghost 연기법이란 사람이**

육체에서 벗어나 정신적으로
피곤한 상태에서도 인체에대한
해결책을 내어 연기를 하는
법칙을 의미한다 이 연기법을
다양한 기법들이 나오는데
의연기법에서 제일 중요한것은
그 인물이 되어야 한다는 중요한
포인트이다.쉽게 말하자면
극적인 연기법이다.이극적인
연기법에서는 다양하게
동양,서양을 탐구할수있다
동양에서는 귀신이라고 부르지만
서양에서는 고스트라고도
한다.그러기에 육감을 사용해서
하는방법이다 심리적으로
두렵거나 흥분될때 연동되어
쓸만한 장면에서 같이 생각하고

'사이코패스'나 '소시오패스'같은
'천사'같은 '훌륭한' 물질적인
인물을 탐구하면서 외부밖에있는
뜻으로 말이므로 귀신연기법을
굉장히 알아두는것도
좋은방법이다

# 귀신 연기론과 연출론

**발 행** | 2022년 03월 21일

**저 자** | 허윤제

**펴낸이** | 한건희

**펴낸곳** | 주식회사 부크크

**출판사등록** | 2014.07.15.(제2014-16호)

**주 소** | 서울특별시 금천구 가산디지털1로 119 SK트윈타워 A동 305호

**전 화** | 1670-8316

**이메일** | info@bookk.co.kr


ISBN | 979-11-372-7747-2


www.bookk.co.kr